Fafounet

fait du camping

Quelle belle journée aujourd'hui ! Fafounet se prépare pour aller faire du camping avec son petit frère adoré, Fafouni.

#1
CAMPING
LAC
TOILETTES

Arrivés à destination, nos deux courageux amis escaladent le célèbre mont Fafoumalaya, la montagne la plus haute de toute la planète !

FaFoumobile

Après une longue et sinueuse trajectoire entrecoupée de fous rires, Fafounet et Fafouni arrivent au sommet et installent leur tente dans un petit coin tout paisible, blotti au fond de la forêt et loin des bruits de la ville. C'est le calme total !

MOULINS ISLE AUX COUDRE
36 CH DU MOULIN
ISLE AUX COUD, QC
SALE
REF#: 00000017
Batch #: 241 SEQ: 241001001017
06/30/22 11:34:29
APPR CODE: 02883D
VISA
************8024C **/**
AMOUNT $10.45
00 - APPROVED - 001
CHASE VISA
AID: A0000000031010
TVR: 00 80 00 80 00
TSI: E8 00
Merci/Thank You
Please Come Again
CUSTOMER COPY
363695
DIANE
9.95 A
SOUS-TOTAL 9.95
A) T.P.S. 0.50
B) T.V.Q. 0.00
TOTAL 10.45
VISA 10.45
MERCI!

Une fois qu'il a bien planté la tente au sol, Fafounet veut allumer un feu, question de se réchauffer à la brunante.

#1

Mais catastrophe de catastrophe,
les allumettes ont disparu !
C'est la tragédie !!!

#1

Heureusement, Fafouni a une idée.
En deux temps trois mouvements,
le petit génie frotte avec vivacité
deux morceaux de bois, jusqu'à ce
que POUF, une étincelle jaillisse !
Fafouni a réussi à allumer
le feu.

Épuisés, nos deux amis s'endorment confortablement dans leur tente. Mais le silence de la nuit ne dure pas bien longtemps. Un houhou retentit tout à coup.

HOU HOU!

« Ah non, Fafouni ! s'exclame Fafounet. Ce n'est pas possible ! Ce hibou fait trop de bruit. Je suis incapable de faire dodo. Il faut changer de place. »

#1

Les deux frères prennent
leur courage à deux mains
et transportent leur tente
loin du bruit.
« Ici, c'est parfait ! »
déclare enfin Fafounet.

#1

Mais une odeur bizarre flotte dans les parages. « Fafouni, demande Fafounet, tu ne trouves pas que ça sent les petites foufounes de cochon brûlées ? »

« Aaaaah ! Au secours !!!!!
Ce sont mes foufounes qui sont en feu, pas celles d'un cochon !
Les pompiers, appelle les pompiers !!! » hurle Fafounet.
Fafounet court à toute vitesse et plonge dans le lac pour éteindre ses foufounes en feu. Une fois l'incendie éteint, Fafounet retourne à la tente, tout trempé.

#1

De retour, il s'affole encore en apercevant Fafouni échanger ses objets de valeur avec un ours.
« Fafouni, non ! dit Fafounet.
Le petit pot, c'est pour toi, pas pour l'ours ! »

Au même moment, il entend des froissements d'emballage. Derrière lui, un raton laveur fouille dans la glacière. Quel voleur ! « Non, monsieur Raton ! Ne touche pas à nos cornichons ! Pas question de les cacher dans les buissons et ne te moque surtout pas de mes fesses de cochon brûlées à fond. Retourne dans ta maison. C'est à nous, toutes ces provisions, pas à un raton glouton ! ».

#1

Orphelins de nourriture, les deux
frères se blottissent l'un contre
l'autre devant le feu, prêts à
affronter la faim sous les étoiles.
Mais Fafouni, le ratoureux, sort
de ses poches de délicieuses
guimauves qu'il y avait cachées
à l'insu de Fafounet.

Gui-Gui

L'odeur enivrante de la grillade
guimauvée en attire plus d'un.
Tous les amis sont là : l'ours, le
raton et le hibou.
Après tout, le camping, c'est
beaucoup mieux en bonne
compagnie, non ?

Québec
Crédit d'impôt livres
Gestion SODEC

Gouvernement du Québec – Programme de crédit d'impôt
pour l'édition de livres – Gestion Sodec

info@lesmalins.ca

Éditeur : Marc-André Audet
Éditrice au contenu : Katherine Mossalim
Texte et illustrations : Louise D'Aoust et Emanuel Audet
Correction/révision : Pierre-Yves Villeneuve, Corinne de Vailly, Dörte Ufkes
Conception graphique et montage : Shirley de Susini
Coloration : Shirley de Susini

Dépôt légal – Bibliothèque et Archives nationales du Québec, 2017
Dépôt légal – Bibliothèque et Archives Canada, 2017

Imprimé en Chine.

ISBN : 978-2-89657-503-9

Nous reconnaissons l'aide financière du gouvernement du Canada
par l'entremise du Fonds du livre du Canada pour nos activités d'édition.

Les éditions les Malins inc.
Montréal, Québec

Financé par le gouvernement du Canada | Canada